JIM DAVIS

Garfield
MOI, ON M'AIME

Traduction Jeannine DAUBANNAY

JIM DAVIS

PARIS·BARCELONE·BRUXELLES·LAUSANNE·LONDRES·NEW YORK·STUTTGART

DARGAUD
EDITEUR

COPYRIGHT © 1986 United Feature Syndicate, Inc.
All rights reserved. Based on the English language book :
« Garfield Eats his heart out »
© 1982 United Feature Syndicate, Inc.
Dépôt légal Novembre 1994 - N° 15452
ISBN 2-205-03186-4
ISSN 0758-5136
Publié par DARGAUD ÉDITEUR

Imprimé en France en Octobre 1994 par Clerc S.A. - 18200 Saint-Amand
Printed in France

3

5

5

SALUT, GARFIELD!

SORS D'ICI, LE CHIEN!

© 1982 United Feature Syndicate, Inc.

JE CROIS QUE JE VOUS AIME ...

MON MARI EST MORT ÇA FAIT 31 ANS, GARFIELD ...

JE NE SAIS PAS CE QUE J'AURAIS FAIT SANS MES CHATS!

© 1982 United Feature Syndicate, Inc.

J'AI PASSÉ BIEN DU TEMPS À ME BALANCER EN CARESSANT MES CHATS ...

J'ENVIE CES CHATS-LÀ!

1-28

TU M'AS L'AIR UN PEU ANKYLOSÉ, GARFIELD ...

1-29   JIM DAVIS

CE QU'IL TE FAUT, C'EST UN MASSAGE AU THÉ CITRON ET UN VERRE CHAUD DE LINIMENT POUR CHEVAL ...

OU EST-CE UN MASSAGE AU LINIMENT ET UN VERRE DE THÉ CHAUD CITRON?

© 1982 United Feature Syndicate, Inc.

GRAND-MÈRE S'EN VA MAINTENANT, GARFIELD!

JIM DAVIS   1-30

AU REVOIR, GRAND-MÈRE ...

AU REVOIR, GARFIELD!

TU L'AIMES BIEN, HEIN, GARFIELD!

QUAND ON A FAIT PAREILLE CHOSE, ÇA DEVRAIT ÊTRE FABRIQUÉ POUR DURER ...

6   © 1982 United Feature Syndicate, Inc.

8

KABOOM

JE HAIS
LE LUNDI !

© 1982 United Feature Syndicate, Inc.

© 1982 United Feature Syndicate, Inc.

ATTAQUE
FRIGO !

PEUT-ÊTRE
JUSTE UN
SANDWICH...

UN JAMBON
AU PAIN DE SEIGLE,
ÇA MARCHE !

© 1982 United Feature Syndicate, Inc.

UNE BANANE A
DEUX
USAGES...

NOUR-
RITURE...

© 1982 United Feature Syndicate, Inc.

... ET DIVERTISSEMENT ...

10

POOKY, AVEC TON AIDE, NOUS POUVONS PIQUER LE STEAK DE JON POUR SON DÎNER CE SOIR...

NE T'EN FAIS PAS, VIEUX COPAIN, JE TE RECOUDRAI QUAND CE SERA FINI...

JIM DAVIS

2-7

TAP TAP

© 1982 United Feature Syndicate, Inc.

g

LAISSEZ-MOI REMETTRE ÇA EN ORDRE... VOUS M'AVEZ DIT QUE LE PETIT OURS DE VOTRE CHAT A MANGÉ VOTRE DÎNER ?

LE PLUS GROS APPÉTIT QUE J'AIE JAMAIS VU CHEZ UN NOUNOURS...

14

NOUS ALLONS DEVOIR FAIRE QUELQUE CHOSE POUR TON HALEINE, GARFIELD.

CE N'EST PAS DE MA FAUTE SI TU AS LAISSÉ DEHORS TON FROMAGE À L'AIL HIER AU SOIR

PLUTÔT QUE DE TE PRÉPARER TON REPAS CHAQUE JOUR, GARFIELD, J'AI DÉCIDÉ QUE TU TE SERVIRAIS TOUT SEUL ...

ALIMENT POUR CHATS

ALIMENT POUR CHAT

CE N'ÉTAIT PEUT-ÊTRE PAS UNE BONNE IDÉE ...

JE NE PEUX CROIRE QUE J'AI MANGÉ TOUT CE SAC DE NOURRITURE POUR CHATS ...

JE FERAIS BIEN DE ME FAIRE BOUGER UN PEU L'ESTOMAC ...

RÉELLEMENT, JE NE M'AIME PAS QUAND JE SUIS AUSSI GROS ...

SWIPE!

JE NE PEUX MÊME PAS PROFITER DES SIMPLES PLAISIRS DE LA VIE ...

13

14 2-21

JRM DAVIS

16

LES PHOBIES SONT ÉTRANGES...

JE SUIS ABSOLUMENT INTRÉPIDE SAUF QUAND IL S'AGIT D'ARAIGNÉES ...

SALUT, SERPENT !

COMMENT VAS-TU ?

N'EST-CE PAS ÉTRANGE ? LES ARAIGNÉES ME FONT PEUR, MAIS LES SERPENTS NE ME FONT PAS PEUR !

2-28   JIM DAVIS

MAINTENANT, LES SERPENTS ME FONT PEUR !

SMACK !
SLURP !

JIM DAVIS   3-5

TU MANGES COMME UN COCHON, GARFIELD ! MANGE MOINS VITE ET CRACHE LES GRAINES ...

RATA TATA TATA TATA

© 1982 United Feature Syndicate, Inc.

JIM DAVIS   3-6

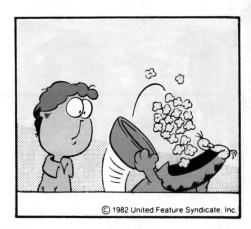

© 1982 United Feature Syndicate, Inc.

QUELLE JOURNÉE LUGUBRE... JE CROIS QUE JE VAIS RESTER AU LIT TOUTE LA JOURNÉE !

JIM DAVIS   3-8

BONJOUR, GARFIELD ! C'EST UNE BELLE JOURNÉE !

QUELLE BELLE JOURNÉE !... JE CROIS QUE JE VAIS RESTER AU LIT JUSQU'À CE SOIR !

© 1982 United Feature Syndicate, Inc.

HE, GARFIELD, TU CONNAIS LE CHIEN DE LA PORTE D'À CÔTÉ ?

UN MINABLE ! VRAIMENT NUL ! JE LE DÉTESTE !

JIM DAVIS   3-9

IL A DÉMÉNAGÉ HIER !

UN CHIEN PRINCIER... JE LE REGRETTERAI ! LE VOISINAGE NE SERA PAS LE MÊME SANS LUI...

© 1982 United Feature Syndicate, Inc.

ATCHOUM!

© 1982 United Feature Syndicate, Inc.

3-10

À VOS SOUHAITS!

SNIFF

ET MAINTENANT, UN MOT DE VOTRE SPONSOR...

3-11

ZOOM

© 1982 United Feature Syndicate, Inc.

MERCI D'ÊTRE REVENU...

O.K., ODIE! TU POUSSES LE GÂTEAU ET JE L'ATTRAPE!

JIM DAVIS

NE LE RENVERSE PAS! NE LE RENVERSE PAS!

© 1982 United Feature Syndicate, Inc.

3-12

TU L'AS RENVERSÉ!

JIM DAVIS

3-13

PUNT

21 © 1982 United Feature Syndicate, Inc.

AVEZ-VOUS BOTTÉ VOTRE CHIEN AUJOURD'HUI?

23

© 1982 United Feature Syndicate. Inc.

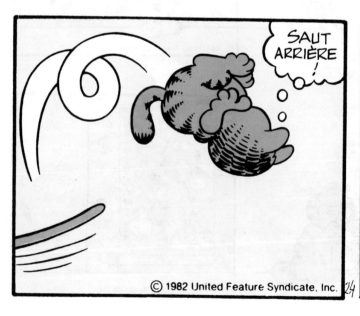

3-21

JIM DAVIS

CHOMP!
SLURP! GULP!

Z

TIRE-TOI DE
MES RÊVES !

JIM DAVIS

3-28

TU OSES TRAVERSER LA TABLE AVEC DES PIEDS AUSSI BOUEUX ...

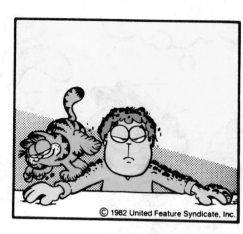

J'AI DÛ FAIRE SAUTER LES PLOMBS !

ON DIRAIT QUE JE VAIS SUBIR UN AUTRE RÉGIME !

RRRRRR

ROWR!

ÇA N'A PAS MARCHE !

30

FOOM!

JIM DAVIS   4-11

BOINK

BEEP! BEEP!

BZT

C'EST BIEN CE QUE JE PENSAIS ! TOUTES LES GARANTIES EXPIRAIENT HIER !

32

BAISER

TU AS DE LA CHANCE QUE CETTE PALISSADE SOIT ENTRE NOUS !

VAS-Y, AMÈNE-TOI !

PRENDS ÇA !

BOP!

JIM DAVIS

HÉ, POUSSIN ! REVIENS ICI ET BATS-TOI COMME UN HOMME !

4-18

TU DEVRAS REPEINDRE LA BARRIÈRE AUJOURD'HUI...

SMACK!

* LA VILLE OÙ ON PERD SA DENT.

J'AIME LA TÉLÉVISION !

OÙ AILLEURS POUVEZ-VOUS VOIR LES IMPORTANTS ÉVÈNEMENTS MONDIAUX ? OÙ AILLEURS POUVEZ-VOUS VOIR DU GRAND OPÉRA ET DES BALLETS ?

OÙ AILLEURS POUVEZ-VOUS VOIR LORENZO LA MARMOTTE FONÇANT EN LOCOMOTIVE À VAPEUR SUR RICKY LE RAT ?

POURQUOI TOUT CET AFFOLEMENT QUANT À LA TÉLÉVISION ?

ILS DISENT QUE LES FAMILLES NE SE RENDENT PLUS VISITE...

C'EST POUR ÇA QUE LES PUBLICITÉS SONT FAITES !

JE CONSIDÈRE LA TÉLÉVISION COMME UNE OCCUPATION QUI EN VAUT LA PEINE...

CAR, REGARDER LA TÉLÉVISION DANS LA JOURNÉE EST TOUT DE MÊME MIEUX QUE... EUH... MIEUX... QUE...

JE DÉTESTE MOI-MÊME PARLER AU PIED DU MUR...

BIENVENUE AU ROCKY OXNARD...

SHOW

JE TOURNE TOUJOURS LE BOUTON DU VOLUME DANS LE MAUVAIS SENS !

39